Pour Sparky et Eddie,
deux bons amis,
deux hommes de Stanford
qui suivent de nouveau un cours de grammaire.
Et pour Jeffrey Dale.
(il sait pourquoi)
T.J.

Pour Claire et Phoebe.
S.R.

À tous les membres de la famille,

,'apprentissage de la lecture est l'une des réalisations les plus mportantes de la petite enfance. La collection *Je peux lire* est conçue ›our aider les enfants à devenir des lecteurs experts qui aiment lire. ,es jeunes lecteurs apprennent à lire en se souvenant de mots utilisés réquemment comme «le», «est» et «et», en utilisant les techniques ›honiques pour décoder de nouveaux mots et en interprétant les indices les illustrations et du texte. Ces livres offrent des histoires que les nfants aiment et la structure dont ils ont besoin pour lire couramment t sans aide. Voici des suggestions pour aider votre enfant avant, ›endant et après la lecture.

ıvant

Examinez la couverture et les illustrations et demandez à votre enfant de prédire de quoi on parle dans le livre.

Lisez l'histoire à votre enfant.

Encouragez votre enfant à dire avec vous les mots et les formulations qui lui sont familières.

Lisez une ligne et demandez à votre enfant de la relire après vous.

endant

Demandez à votre enfant de penser à un mot qu'il ne reconnaît pas tout de suite. Donnez-lui des indices comme : «On va voir si on connaît les sons» et «Est-ce qu'on a déjà lu un mot comme celui-là?»

Encouragez l'enfant à utiliser ses compétences phoniques pour prononcer d'autres mots.

Lorsque l'enfant a besoin d'aide, lisez-lui le mot qui pose problème, pour qu'il n'ait pas trop de mal à lire et que l'expérience de la lecture avec les parents soit positive.

Encouragez votre enfant à lire avec expression... comme un comédien!

près

Proposez à votre enfant de dresser une liste de mots qui l'intéressent et qu'ils préfèrent.

Encouragez votre enfant à relire ses livres. Il peut les lire à ses frères et sœurs, à ses grands-parents et même à ses toutous. Les lectures répétées donnent confiance au jeune lecteur.

Parlez des histoires que vous avez lues. Posez des questions et répondez à celles de votre enfant. Partagez vos idées au sujet des personnages et des événements les plus amusants et les plus intéressants.

espère que vous et votre enfant allez aimer ce livre.

Francie Alexander,
spécialiste en lecture
Groupe des publications
éducatives de Scholastic

Données de catalogage avant publication (Canada)

Johnston, Tony, 1942-
Charlot et Louis — Le premier jour d'école

Traduction de : Sparky and Eddie : the first day of school.
ISBN 0-439-00405-5

I. Chauveau, Dominique. II. Ryan, Susannah. III. Titre.

PZ23.J64Ch 1998 j813'.54 C98-930703-4

Édition publiée par Les éditions Scholastic,
175, Hillmount Road, Richmond Hill (Ontario) Canada L6C 1Z7.

4 3 2 1 Imprimé aux États-Unis 89/90 1 2 3 4 / 0

Charlot et Louis
Le premier jour d'école

Texte de Tony Johnston
Illustrations de Susannah Ryan

Texte français de Dominique Chauveau

Je peux lire — Niveau 3

Les éditions Scholastic

Charlot et Louis habitent
l'un à côté de l'autre.

Charlot est né à la même date
que son oncle Charles.
C'est de lui qu'il tient son nom.

Louis est né à une date bien ordinaire.
On lui a donné le même prénom
que son parrain.

Charlot est grand.
Louis est petit.
Charlot a plein de taches de rousseur.
Louis n'en a pas une seule.
Charlot aime les arbres.
Louis aime les insectes.
Ils sont tellement différents
l'un de l'autre, qu'ils sont
les meilleurs amis
du monde.

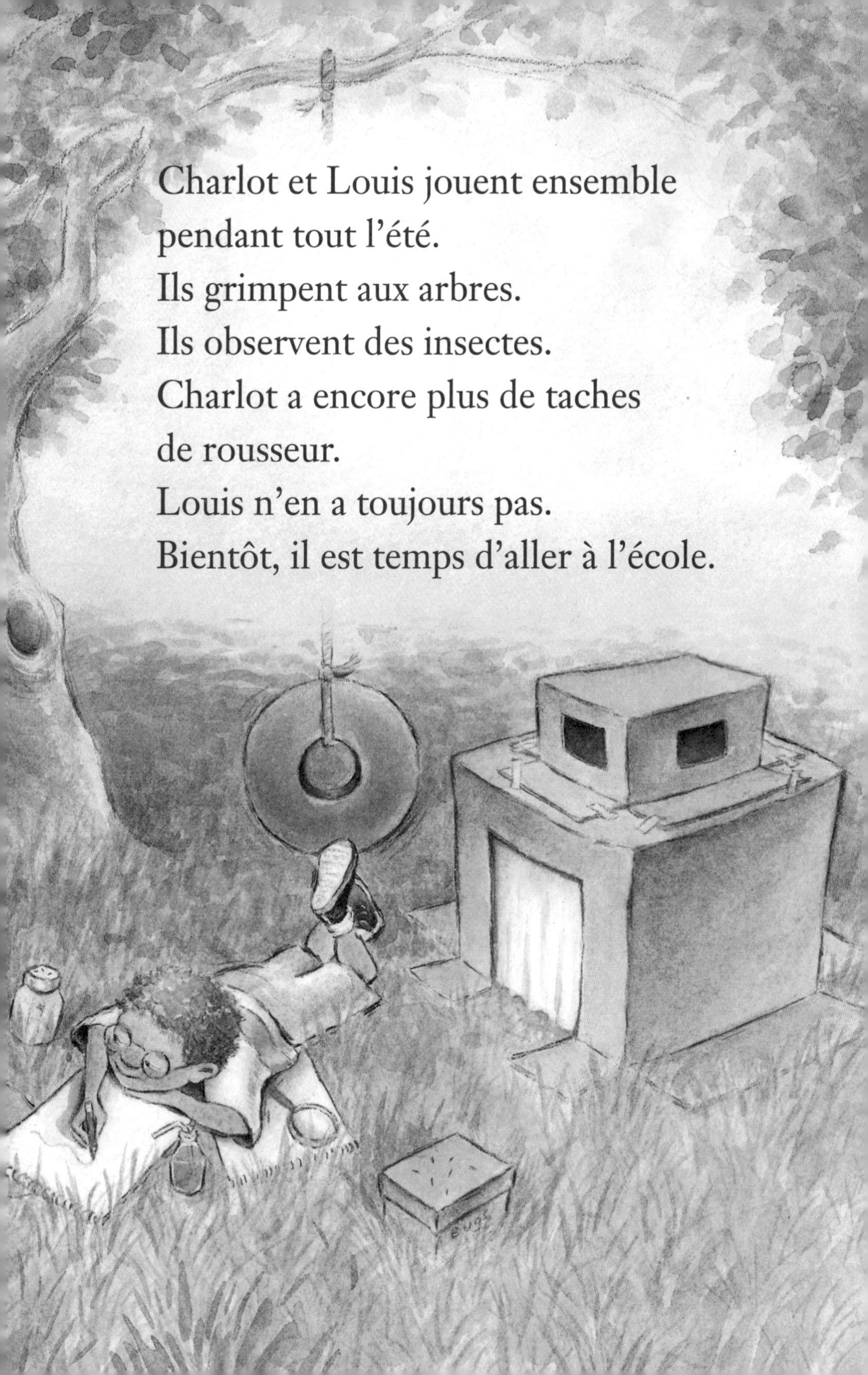

Charlot et Louis jouent ensemble
pendant tout l'été.
Ils grimpent aux arbres.
Ils observent des insectes.
Charlot a encore plus de taches
de rousseur.
Louis n'en a toujours pas.
Bientôt, il est temps d'aller à l'école.

Charlot et Louis ont hâte d'aller à l'école.
Ils veulent aussi être dans la même classe.
Un jour, leurs parents les conduisent
à l'école pour connaître les enseignants
qu'ils auront.

Les listes des élèves sont affichées.
Charlot sera avec M. Lopez.
Louis sera avec Mme Beaulieu.
Charlot et Louis se regardent.
Ils s'écrient :
— *Nous ne sommes pas dans la même classe!*

Ils sont déçus.
Trop déçus pour grimper aux arbres.
Trop déçus pour observer les insectes.
Et même trop déçus pour pleurer.

Rien ne les intéresse; ils sont trop déçus.
Soudain, Charlot s'écrie :
«Faisons un marché.»
— Quel marché? demande Louis.
— Nous ne sommes pas dans la même
classe, fait Charlot,
alors nous n'irons pas à l'école.
— SUPER! s'exclame Louis.
Cette année, nous resterons à la maison!
— Nous grimperons aux arbres! dit
Charlot.
— Nous observerons les insectes! ajoute
Louis.
— Nous aurons beaucoup, beaucoup de
plaisir! crie Charlot.
— Puis il ajoute : «Serrons-nous la main.»
— Pas de compromis? demande Louis.
— Pas de compromis, répond Charlot.

Louis dit à sa maman :
— Charlot et moi avons fait un marché.
Nous ne sommes pas dans la même classe
donc, nous n'irons pas à l'école cette année.
— Oh, mon chéri, fait sa maman.
Ton enseignante sera triste.

Charlot dit à son papa :
— Louis et moi avons fait un marché.
Nous ne sommes pas dans la même classe
donc, nous n'irons pas à l'école cette année.
— Oh, mon chéri, fait son papa.
Ton enseignante sera triste.

a e i o
1+1=?
1+2=?
2+3=?

Louis dit à Charlot :
— Si nous n'allons pas à l'école,
nos enseignants seront tristes.
— Ils pleureront, dit Charlot.
— Ils gémiront, ajoute Louis.
— Ils pleureront à chaudes larmes.
— Ils pleureront à fendre l'âme.
— Qu'est-ce qu'on peut faire?
demande Charlot.
Louis réfléchit.
Il réfléchit et réfléchit encore.

Soudain, Louis suggère :
— Donnons-leur une chance.
Si nous les aimons, nous resterons en classe.
— Sinon, nous rentrerons chez nous,
propose Charlot.
Nous grimperons aux arbres.
Nous observerons les insectes.
Nous aurons beaucoup, beaucoup de plaisir!
— C'est un compromis, souligne Louis.
— Oui, fait Charlot.
— C'est un beau compromis.
Marché conclu?
— Marché conclu, dit Louis.
Et ils se serrent la main.

C'est le premier jour d'école.
Louis se rend à sa classe.
Mme Beaulieu attend, toute souriante.

Elle a un scarabée sur son bureau.
Louis le trouve très beau.
Mme Beaulieu permet aux enfants
de l'observer.
Elle leur permet même de le toucher.
Certains enfants font : «Oooh!»
D'autres enfants font : «Aaah!»
Louis fait : *«Oooh!»* et *«Aaah!»*

Charlot se rend à sa classe.
Monsieur Lopez attend, tout souriant.
Il a posé un bonsaï sur son bureau.
Un nain, vraiment. Un arbre nain.
Monsieur Lopez permet aux enfants
de le regarder.
Il leur permet aussi de le toucher.
Certains enfants font : «Oooh!»
D'autres enfants font : «Aaah!»
Charlot fait : *«Oooh!»*
et *«Aaah!»*

Ll
Mm
Nn
Qq
0 1 2 3 4 5

Charlot et Louis se rencontrent
dans les toilettes pour garçons.
— Aimes-tu ton enseignant? demande Louis.
— Oui, répond Charlot.
Il avait un bonsaï sur son bureau.

— Qu’est-ce que c’est? demande Louis.
— Un tout petit arbre.
— Petit comme moi?
— Plus petit.
— Super! s’exclame Louis.

— Aimes-tu ton enseignante?
demande Charlot.
— Oui, répond Louis.
Elle avait un scarabée sur son bureau.
C'est un insecte qui ressemble
à un rhinocéros.
— Oh là là! s'écrie Charlot.
Louis déclare alors :
— J'aime bien l'école. Je vais y rester.
Je peux être ton meilleur ami,
même si nous ne sommes pas dans
la même classe.
— Moi aussi, dit Charlot.

— Charlot? demande Louis.
Est-ce que je pourrais voir le bonsaï
de ton enseignant?
Je veux voir quelque chose
de plus petit que moi.

— Bien sur, répond Charlot.
Est-ce que je pourrais voir le scarabée
de ton enseignante?
Je veux voir un rhinocéros sur un bureau.
— C'est un insecte, Charlot.
— Je le sais, dit Charlot.
Et je veux le voir.
Louis répond : «D'accord.
Nous le verrons après la classe.»
— D'accord, dit Charlot.
— Faisons un marché.
L'insecte et le bonsaï après l'école.
— Super! fait Louis.
Mais cette fois-ci, aucun compromis.

Et ils se serrent la main.